W9-BZV-950

ÉDITIONS FRANCE LOISIRS

Bienvenue dans la maison de Mickey !
Aujourd'hui, Minnie s'est réveillée de bonne heure. Elle ouvre sa fenêtre pour respirer l'air frais du matin. Dehors, les premiers rayons du soleil commencent déjà à percer.
– C'est une journée idéale pour pique-niquer ! s'écrie Minnie.
Je vais tout de suite préparer les invitations pour mes amis.

Mickey

Je t'invite
à un pique-nique !

Rejoins-moi à midi
sur le terrain
de jeux !

Minnie

Minnie est très fière de ses invitations !
« Vite, il me reste beaucoup de choses à faire », pense-t-elle.
Elle dresse une liste pour ne rien oublier : une nappe, des assiettes, des serviettes et de quoi manger, bien sûr ! Puis elle sort faire les courses, mais s'arrête après quelques pas :
– J'ai oublié de prendre un sac pour les courses ! s'exclame-t-elle.

Mickey

De retour chez elle, Minnie trouve quelque chose d'assez grand pour contenir toutes ses courses : son joli panier en osier. Elle le récupère sur une étagère et hop ! la voilà qui traverse le jardin, son panier sous le bras.

– Oh ! s'extasie-t-elle, les jolies tulipes !

En hâte, elle prépare un beau bouquet et le rapporte chez elle, en oubliant son panier.

Pendant ce temps, Daisy traverse le jardin et aperçoit le panier de Minnie.
Intriguée, elle l'ouvre et trouve une invitation à son nom
et la liste des courses.
« Super, Minnie organise un pique-nique ! Et si je préparais la salade
de fruits ? » pense-t-elle.
Décidée à aider son amie, Daisy se dirige vers le buisson de myrtilles,
tout au bout du chemin.

J'ai besoin de:
Nappe
Serviettes
Assiettes
Salade
de fruits
Limonade
Ketchup
Moutarde

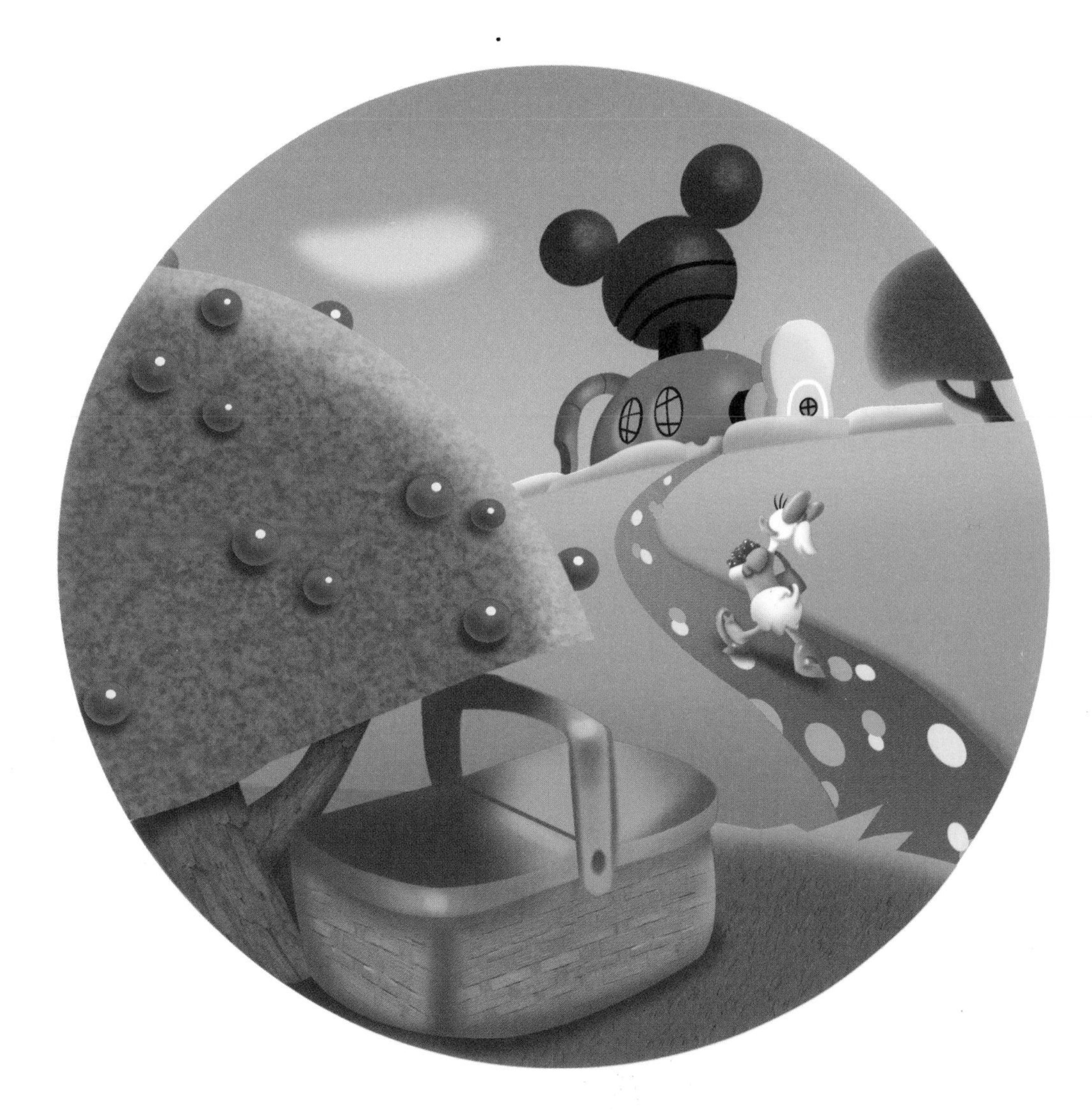

– Mmm ! se réjouit Daisy en goûtant quelques fruits.
Ces myrtilles sont bien sucrées ! Ce sera parfait pour ma salade de fruits !
Bientôt, son sac à main et ses poches sont remplis de myrtilles.
« J'ai besoin d'un grand saladier pour contenir tous ces fruits »,
pense-t-elle.
Elle se dirige alors vers sa maison en oubliant le panier à côté du buisson...

Pendant ce temps, Minnie arrive dans le jardin en fredonnant, quand elle se rend compte que le panier a disparu !
– Où peut-il bien être ? s'écrie-t-elle.
Minnie revient sur ses pas et regarde derrière les tulipes...
Aucune trace du panier ! Tristement, elle s'assoit sur une chaise.
– Oh non ! sanglote-t-elle. Mon pique-nique est fichu avant même d'avoir commencé !

Arrivée dans sa cuisine, Daisy trouve un bol pour ses myrtilles, mais ce n'est pas assez grand !
Elle le verse donc dans un bol un peu plus grand, mais celui-ci déborde aussi !
Finalement, Daisy trouve un grand saladier.
– Parfait ! s'exclame-t-elle. Et si j'ajoutais de la pastèque ?
Daisy se rend au potager et choisit une pastèque bien verte et à la chair juteuse à souhait.

Au même moment, Donald se promène près du buisson de myrtilles et aperçoit le panier avec son invitation à l'intérieur.

– Génial ! Nous allons faire un pique-nique ! Et en plus, il y aura de la limonade : j'adore ça ! Et si je la préparais moi-même ? se décide Donald. Ma recette est la meilleure du monde ! Celle des autres n'est jamais vraiment à mon goût…

De son côté, Daisy mélange les myrtilles et la pastèque dans le saladier : le bleu et le rouge se marient très bien. Elle se souvient alors qu'il lui reste un ananas et décide de l'ajouter à sa salade de fruits.

Soudain, elle cherche des yeux le panier.

– Oh non ! Le panier de Minnie !

Le buisson de myrtilles ! gémit-elle en se précipitant dehors.

Arrivée au buisson, Daisy en fait plusieurs fois le tour. Elle regarde dessous, puis à côté, puis derrière. Mais le panier n'est pas là, il a disparu !
« Je vais quand même terminer ma salade de fruits, pense Daisy. Espérons que Minnie me pardonnera d'avoir perdu son panier... »
Ennuyée, Daisy retourne chez elle pour finir sa salade de fruits.

Sucre
J'ai besoin de:
Nappe
Serviettes
Assiettes
Salade
de fruit

Donald se rend à l'épicerie afin d'acheter les ingrédients pour sa limonade.
– Bonjour ! Je voudrais six citrons jaunes et un citron vert !
Il s'approche de la pyramide de citrons.
– Pas celui du dessous ! lui crie l'épicier.
Trop tard ! Les citrons dégringolent sur le sol. Gêné, Donald se dépêche de sortir de la boutique, en oubliant le panier de Minnie...

En rentrant chez lui, Donald aperçoit Minnie et Daisy :
– Elles ont l'air de mauvaise humeur !
Je suis sûr que ma limonade leur remontera le moral, se réjouit-il.
Il faut faire vite ! Il coupe et presse les citrons.
Puis, il récupère le jus des cerises avec une paille.
Ensuite, dans un pichet, il verse de l'eau, le jus des fruits
et rajoute du sucre.

En ville, Dingo se promène avec son chat.
En passant devant son épicier, il l'aperçoit en train de ramasser ses citrons et s'empresse de l'aider. Soudain, il trouve le panier de Minnie.
– Chouette ! s'exclame-t-il, j'adore les pique-niques !
Il regarde la liste des courses.
–Ah ! elle a pensé aux épis de maïs !
Ravi, il se dirige vers le champ le plus proche.

Dingo

– Combien d'épis dois-je prendre ? se demande Dingo, en se léchant les babines devant le champ de maïs. Pluto n'en mange pas. Je pense qu'il faut compter deux épis pour Minnie et Daisy, deux autres pour Donald, ce qui donne quatre épis. Mickey en voudra un. Cela en fait cinq. Et moi, j'en prendrai cinq. Nous avons donc besoin de dix épis de maïs !

+ =2+
=4+ =5
+ =10

Dingo adore le maïs ! Il est tellement content à l'idée d'en manger, qu'il improvise une petite chanson :
Maïs, maïs, j'adore le maïs! Des galettes, des beignets, des corn-flakes, des épis grillés, j'en mangerais jour et nuit !
De retour chez lui, Dingo remplit sa plus grande casserole avec de l'eau. Pendant qu'elle chauffe, il épluche les épis.

Donald, de son côté, est retourné au jardin pour cueillir
de la menthe pour sa limonade. Quand...
– Oh ! s'exclame-t-il, où est le panier ? Je l'ai peut-être laissé au magasin ?
Il retourne à l'épicerie, regarde sous le comptoir et derrière
le nouvel étalage de citrons.
– C'est terrible ! Le panier a disparu !
Évitant l'épicier, il s'éclipse sur la pointe des pieds.

De leur côté, Mickey et Pluto font une balade en voiture
et s'arrêtent près du champ de maïs.
– Oh, mais qu'est-ce que c'est ? se demande Mickey.
Tiens, on dirait le panier de Minnie ! Que fait-il ici ? Regarde, Pluto !
C'est pour nous ! Minnie organise un pique-nique et nous sommes invités !
Occupons-nous de ce qu'il reste sur la liste des courses.

Mickey
Limonade
Épis de maïs
Saucisses

Dingo termine de préparer les épis. Il ajoute une pincée de sel
et un soupçon de sucre.
– C'est prêt ! Je vais les mettre dans le panier ! Mais où est-il passé ?
Dingo court jusqu'au champ de maïs. Il cherche partout, mais aucune
trace du panier...
– Oh là là ! s'exclame-t-il avec tristesse. J'ai perdu le panier de Minnie !
Tout penaud, il rentre chez lui.

Épis de maïs
Saucisses

À l'épicerie, Mickey achète des saucisses, du pain, du ketchup et de la moutarde.

– Et voilà ! Pluto, les courses sont terminées, annonce-t-il avant de jeter un coup d'œil à l'horloge. Oh là là, dépêchons-nous, il est presque midi. Nos amis vont nous attendre.

Mickey et Pluto sortent en courant du magasin avec toutes leurs courses.

L'heure du déjeuner approche.
– La prochaine fois que j'organise un pique-nique, se lamente Minnie, je ferai attention à ne rien perdre !
Elle se rend malgré tout au terrain de jeux avec ses fleurs.
Au même moment, Daisy décide d'y aller elle aussi.
– Peut-être que mes amis seront là-bas et voudront partager cette salade avec moi, soupire-t-elle.

À midi, Donald prend son pichet et se dirige vers le lieu du rendez-vous.
– Après tout, se persuade-t-il, ce n'est pas si grave d'avoir perdu le panier et la liste des courses... Le plus important, c'est ma limonade !
« J'espère que le pique-nique n'est pas annulé », pense Dingo en gambadant vers le terrain de jeux, son assiette d'épis de maïs à la main.

À midi, Mickey et Pluto arrivent au terrain de jeux en voiture.
– Regarde ! Nous sommes juste à l'heure pour le pique-nique, annonce Mickey à Pluto en arrivant. Donald, Daisy et Dingo sont déjà là ! Bonjour, Minnie ! continue-t-il en se dirigeant vers son amie. Tu n'as pas l'air très en forme aujourd'hui ! Que se passe-t-il ?

Minnie n'en croit pas ses yeux : tous ses amis sont présents
et installent le déjeuner sur la table du pique-nique !
– Ce matin, j'ai voulu organiser un pique-nique, mais j'ai perdu mon panier
et toutes les invitations que j'avais préparées... explique-t-elle.
Je pensais que mon pique-nique était fichu !
Mais comment avez-vous su ?

– Eh bien, j'ai trouvé ton panier dans le jardin et j'ai décidé de faire la salade de fruits qui était sur la liste, mais j'ai oublié le panier près d'un buisson de myrtilles, avoue Daisy. Je suis vraiment désolée. Je suis retournée le chercher, mais il n'était plus là ! Quelqu'un a dû le prendre. J'espère que tu ne m'en veux pas trop…

– Et moi, j'ai trouvé le panier près du buisson de myrtilles, poursuit Donald. J'ai voulu préparer une limonade, mais j'ai oublié le panier à l'épicerie en faisant mes courses !
– Ah ! Voilà pourquoi je l'ai trouvé à l'épicerie ! s'exclame Dingo. J'ai décidé de cuisiner des épis de maïs et j'ai oublié ton panier dans le champ. Pardonne-moi, Minnie.

– … Et Pluto et moi l'avons trouvé dans le champ, conclut Mickey. J'ai acheté de quoi préparer les hot-dogs. C'est pour cela que nous sommes en retard.
Puis, il se retourne vers Minnie et murmure :
– J'espère que tu n'es pas en colère contre nous.
– Pourquoi serais-je en colère ? répond Minnie en regardant ses amis. Vous êtes les meilleurs amis du monde !

Chacun est enchanté par la salade de fruits de Daisy, la limonade de Donald, les épis de maïs de Dingo et les merveilleux hot-dogs préparés par Mickey.

– C'est le meilleur pique-nique de ma vie ! déclare Minnie. Merci beaucoup ! Vous avez été formidables !

– Mais non, c'est toi qui as eu une idée formidable, Minnie ! renchérit Mickey.

Après le délicieux pique-nique de Minnie, Mickey et Dingo ont décidé de jouer aux échecs.
– Allons, dépêche-toi, Mickey, se plaint Dingo.
Tout à coup, quelque chose venu du jardin atterrit au beau milieu de l'échiquier !
– Qu'est-ce que c'est ? se demande Mickey, en scrutant le nouvel arrivant. C'est tout vert... ça fait « Coââ-coââ », c'est une grenouille !

– Une grenouille très agitée ! poursuit Dingo.
L'invitée surprise saute sur la manette qui permet de changer de pièce !
Patatras ! Mickey et Dingo se retrouvent dans la cuisine !
– Comment allons-nous nettoyer toute cette eau ? gémit Dingo.
– Oh, Tourniquet ! appelle Mickey. Nous avons besoin d'un maxi-outil !

– Ce balai fera parfaitement l'affaire, décide Mickey.
Merci Tourniquet !
Entre-temps, Dingo se prépare un gros sandwich au saucisson.
Juste au moment d'y goûter, Mickey crie :
– Stop ! Regarde ton sandwich ! La gourmande grenouille
s'est glissée entre les tranches de pain !
– Elle ne sait pas à quel danger elle s'expose ! grommelle Dingo.

Dingo emmène la grenouille dans le jardin.
– Fais attention, recommande Mickey, elle risque de glisser !
– Ne t'inquiète pas, je la tiens... Je la tiens... assure Dingo.
Splash ! La maladroite atterrit dans la palette de peinture de Daisy !
– Oh non ! s'exclame Daisy. Maintenant, mon tableau et mes habits sont fichus ! Votre grenouille devrait regarder où elle va !

Mais la grenouille prend déjà son élan et hop ! elle attrape au passage... la bicyclette de Mickey ! Boing ! La pauvre ignore qu'elle fonce droit vers un ravin !

– Oh non, hurle Dingo, en s'élançant derrière elle. Il faut faire quelque chose pour l'empêcher de tomber !

– Appelons vite Tourniquet : oh, Tourniquet ! À l'aide ! appelle Mickey.

– Cette corde va nous aider, déclare Mickey. Merci Tourniquet, heureusement que tu es là !
Oh hisse ! Mickey et Dingo lancent la corde et rattrapent la bicyclette juste avant qu'elle ne plonge dans le fossé. La grenouille fait des bonds pour remercier ses amis. Puis elle continue sa course folle, avec Mickey et Dingo à ses trousses.

Tout à coup, la grenouille s'arrête devant une pizzeria.
– Attrapons-la avant qu'elle ne s'échappe à nouveau, chuchote Mickey en se rapprochant discrètement.
Trop tard ! Elle vient d'éclabousser le vendeur avec de la sauce tomate.
– Que fait cette grenouille ici ? hurle l'homme en colère.
Mais la grenouille sautille déjà en direction de Minnie et Pluto !

– Bonjour Minnie ! crie Mickey. Peux-tu nous aider à l'attraper ?
Plouf ! La grenouille plonge dans le bocal à poissons que Minnie tient dans ses bras. Le poisson rouge, projeté dans les airs, est récupéré en plein vol par Minnie.
– Oh, Tourniquet ! appelle Mickey, désespéré. Peux-tu trouver quelque chose qui nous aidera à tenir la grenouille en place ?

– Un filet à papillon ! se réjouit Mickey. Merci Tourniquet !
Ça y est ! Mickey et Dingo attrapent enfin la grenouille.
– Comme elle a l'air triste… se désole Dingo.
– Vite ! Cherchons ce qui pourra lui rendre le sourire, répond Mickey.
Eurêka ! Mickey et ses amis aperçoivent une fontaine en bas du chemin et s'y précipitent. Mais, trop impatiente, la grenouille s'échappe à nouveau !

Splash ! D'un bond, elle rejoint une autre grenouille dans la fontaine.
– Coââ-coââ !
– Cet endroit semble idéal pour notre nouvelle amie ! Elle pourra sauter et plonger tant qu'elle le voudra !
Bravo ! Mickey et Dingo ont aidé la grenouille à trouver un nouveau domicile.
Maintenant, ils peuvent enfin retourner à leur partie d'échecs !

Le lendemain, Donald et ses amis ont décidé de profiter de cette belle journée ensoleillée pour s'amuser dans le jardin.
– Chut ! Daisy, murmure Donald, surtout ne bouge pas, quelqu'un nous suit...
– Comme c'est étrange..., se moque son amie. Ce quelqu'un a les pieds palmés, comme toi ! C'est peut-être la grenouille qui est revenue ? Mais non, voyons, c'est ton ombre !

– Et si nous allions faire un tour en ballon ? propose soudain Mickey.
– Pas moi ! grommelle Donald, un peu inquiet.
– N'aie pas peur ! Nous serons tous ensemble, le rassure Minnie.
Allez, en route pour l'aventure !
Mais il faut trouver quelque chose pour gonfler le ballon.
– Oh, Tourniquet ! appelle aussitôt Mickey.
– C'est une ... pompe ! s'exclame Minnie en voyant l'outil.

Bientôt, les amis prennent place à bord du ballon et survolent la maison de Mickey. Quelle aventure pour la petite troupe !
– Oh, regardez, s'émerveille Minnie, nous volons juste au-dessus de chez nous, comme c'est rigolo ! Il y a tant de formes autour de la maison ! C'est incroyable ! Je peux voir un cœur, un triangle et un rectangle. Et vous, que voyez-vous d'autre ?
– Je ne savais pas que nos voisins avaient une piscine ! s'écrie Dingo.

– Moi aussi, je vois un triangle, Minnie ! renchérit Mickey.
– C'est comment, un triangle ? demande Dingo. Je ne crois pas en avoir déjà vu !
– Il y en a partout autour de nous. Un triangle, c'est une forme à trois côtés qui ont chacun un bout pointu… lui répond Minnie.
– Comme un sandwich ? demande Dingo.
Ou bien, euh… comme cette montagne, en face de nous ?

Soudain, une bourrasque précipite le ballon contre le sommet de la montagne !
Mickey et ses amis sont bloqués et ne peuvent plus descendre.
Tourniquet leur propose alors d'utiliser un triangle, une pièce de tissu, une échelle ou une longue-vue.
– Que devons-nous choisir ? demande Minnie, désemparée.
– Nous n'avons qu'à tout essayer, décide Mickey.

Daisy fait sonner le triangle pour appeler à l'aide, mais rien n'y fait.
– À ton tour, Minnie ! Peux-tu rapiécer le ballon ?
Mais la pièce de tissu est trop petite.
– Dingo, utilise la longue-vue !
Il ajuste l'instrument et constate que le sol est très loin !
– Il ne nous reste qu'une solution, c'est l'échelle, constate Mickey.

– Il faudra être très prudent, conclut-il en déroulant l'échelle.
– Moi en premier, moi en premier ! S'il vous plaît ! s'affole Donald.
– Non, Donald, nous allons procéder autrement. Que chacun tire au sort un papier numéroté… Celui qui a le numéro 1 descend en premier. Êtes-vous d'accord ?

1
4
6
5
3

Tout le monde a enfin regagné la terre ferme.
– Ouf ! Nous sommes sains et saufs, se félicite Mickey.
Maintenant, rentrons chez nous. Il faut prendre tout droit !
Heu, non, à droite...
Après plusieurs heures de marche, ils sont tous épuisés et découragés.
– Je crois que nous tournons en rond, annonce-t-il enfin.
J'ai déjà vu cet arbre.

– Oh, Tourniquet ! appelle Mickey.
Tourniquet leur montre trois images représentant Mickey devant sa maison à trois moments de la journée.
Le matin, son ombre est devant lui ; à midi, elle disparaît ; et le soir, elle est derrière lui.
– J'ai trouvé ! s'écrie Donald. Le soleil est en train de se coucher. Nos ombres pointent vers la maison, il faut les suivre !

Enfin, les amis sont de retour chez eux. Ils sont affamés et épuisés après une si longue marche. Ils se mettent à table pour dîner.
– Alors, Donald, es-tu réconcilié avec ton ombre ? le taquine Daisy.
– Je suis l'ami de tous ceux qui m'indiquent la route de chez moi ! réplique ce dernier.

Illustrations de The Disney Storybook Artists.
Conçu par Elizabeth Andaluz.
D'après la série télévisée de Disney Channel.
Une Édition du Club France Loisirs, Paris, avec l'autorisation deDisney
Éditions France Loisirs, 123, boulevard de Grenelle, Paris.
www.franceloisirs.com

Imprimé en France par PPO
N° d'éditeur : 63209 - Dépôt légal : Mai 2008 - ISBN : 978-2-298-03763-0
Loi n°49-956 du 16 juillet 1949 sur les publications destinées à la jeunesse.